4 Make up your own sentences using the pictures to help you.

 CW00840490

Transpor

une moto

un vélo

un train

une voiture

Quel bruit!
What a noise!

11

5 Read and learn the words in the speech bubble at the bottom of the page and try them out with your friends.

6 Test yourself! Cover the words, look at the picture and say or spell the French word.

Written by Amanda Doyle
Illustrated by Ian Cunliffe

Published by Ladybird Books Ltd
A Penguin Company
Penguin Books Ltd, 80 Strand, London WC2R 0RL, UK
Penguin Books Australia Ltd, Camberwell, Victoria, Australia
Penguin Books (NZ) Ltd, Cnr Airbourne and Rosedale Roads, Albany, Auckland, 1310, New Zealand

3 5 7 9 10 8 6 4 2

© LADYBIRD BOOKS MMIV

LADYBIRD and the device of a Ladybird are trademarks of Ladybird Books Ltd
All rights reserved. No part of this publication may be reproduced,
stored in a retrieval system, or transmitted in any form or by any means,
electronic, mechanical, photocopying, recording or otherwise,
without the prior consent of the copyright owner.

Printed in Italy

French
for
School

Ladybird

Ma famille

Voici ma famille!
Here is my family!

Salut!
Hi!

ma soeur,
Émilie

mon père

ma mère

My family

Je m'appelle Olivier.
My name is Olivier.

ma grand-mère

mon grand-père

mon frère

Au zoo

J'aime les zèbres.
I like the zebras.

les flamants roses

les lions

les kangourous

les ours blancs

les perroquets

les tigres

les pingouins

les zèbres

C'est chouette!
It is fantastic!

Le transport

Je vois une voiture.
I see a car.

un autobus

un bateau

un avion

un hélicoptère

Transport

une moto

un vélo

un train

une voiture

Quel bruit!
What a noise!

11

En ville

Je cherche une pâtisserie. **I'm looking for** a cake shop.

une boucherie

un café

une boulangerie

une épicerie

un fleuriste

une pâtisserie

une gare

une poste

C'est ici!
It's here!

Les animaux

J'ai un lapin.
I have a rabbit.

une araignée

un chien

un chat

un poisson rouge

Animals

un hamster

un serpent

un lapin

une souris

C'est mignon!
It's cute!

Au supermarché

Je sens un poisson.
I smell a fish.

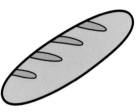

une baguette

une fraise

un concombre

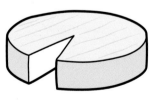

un fromage

At the supermarket

un oignon

un poisson

une pêche

un poulet rôti

Ça suffit!
That's enough!

A la ferme

Il y a un tracteur.
There is one tractor.

Il y a deux vaches.
There are two cows.

un tracteur

deux vaches

trois chevaux

quatre chèvres

At the farm

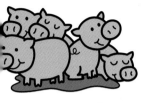

cinq cochons

six moutons

sept oies   huit canards

neuf poules   dix escargots

1
un

2
deux

3
trois

4
quatre

5
cinq

6
six

7
sept

8
huit

9
neuf

10
dix

Bon anniversaire!

Je mange des bonbons.
I eat some sweets.

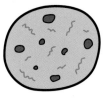

un biscuit

des pommes frites

des bonbons

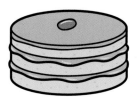

un gâteau

Happy birthday!

une glace

des sandwichs

des raisins

une tarte aux pommes

J'ai huit ans!
I am 8 years old!

Au concert

J'entends un violon.
I hear a violin.

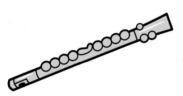

une flûte

une guitare

une flûte à bec

un piano

At the concert

un tambour

une trompette

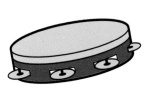

un tambourin

un violon

Incroyable!
Unbelievable!

23

Mes vêtements

Je porte
un pull bleu.
I'm wearing
a blue jumper.

un chapeau noir

une jupe orange

une casquette
rouge

une chemise
jaune

My clothes

une écharpe
rose

un pull bleu

un pantalon
vert

un T-shirt blanc

Très chic!
Very smart!

rouge

orange

jaune

vert

bleu

noir

blanc

rose

Les jouets

Je voudrais un nounours.
I would like a teddy bear.

un livre

un ballon de football

des feutres

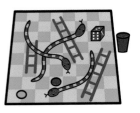

un jeu

un nounours

une poupée

un ordinateur

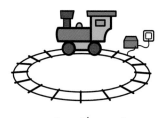

un train électrique

Informations supplémentaires

Les jours de la semaine
The days of the week

lundi	Monday
mardi	Tuesday
mercredi	Wednesday
jeudi	Thursday
vendredi	Friday
samedi	Saturday
dimanche	Sunday

Les mois de l'année
The months of the year

janvier	January	juillet	July
février	February	août	August
mars	March	septembre	September
avril	April	octobre	October
mai	May	novembre	November
juin	June	décembre	December

Extra information

Quelle heure est-il?
What time is it?

Il est dix heures
It is ten o'clock

Il est deux heures et quart
It is quarter past two

Il est trois heures moins le quart
It is quarter to three

Il est cinq heures et demie
It is half past five

Conversation

Bonjour!	Hello!
Salut!	Hi!
Au revoir	Goodbye
Ça va?	How are you?
Je m'appelle	My name is
J'ai 8 ans	I am 8 years old
J'habite	I live

Parent's notes

This book can be used on two levels according to the age, ability and interest level of your child.

The first stage is as a vocabulary book; even the very youngest child will enjoy looking at the pictures and repeating the words with you.

The second stage is to introduce the phrases, shown in speech bubbles throughout the book, to make hundreds of new sentences. Encourage your child to make up silly sentences such as "I am a snake". He will have great fun and will learn about sentence construction at the same time!

For added enjoyment use the little phrases at the bottom of each page daily with your child.